Catalogage avant publication de Bibliothèque et Archives nationales
du Québec et Bibliothèque et Archives Canada

Latulippe, Martine, 1971-

Ce soir, on danse!

(L'alphabet sur mille pattes; 16)
Pour enfants de 6 ans et plus.

ISBN 978-2-89591-191-3

I. Boulanger, Fabrice. II. Titre. III. Collection: Alphabet sur mille pattes; 16.

PS8573.A781C42 2014   jC843'.54   C2013-941938-1
PS9573.A781C42 2014

Correction et révision: Annie Pronovost

Tous droits réservés
Dépôts légaux: 1er trimestre 2014
Bibliothèque nationale du Québec
Bibliothèque nationale du Canada
ISBN: 978-2-89591-191-3

© 2014 Les éditions FouLire inc.
4339, rue des Bécassines
Québec (Québec) G1G 1V5
CANADA
Téléphone: 418 628-4029
Sans frais depuis l'Amérique du Nord: 1 877 628-4029
Télécopie: 418 628-4801
info@foulire.com

Les éditions FouLire reconnaissent l'aide financière du gouvernement du
Canada par l'entremise du Programme d'aide au développement de
l'industrie de l'édition (PADIÉ) pour leurs activités d'édition.

Elles remercient la Société de développement des entreprises culturelles du
Québec (SODEC) pour son aide à l'édition et à la promotion.

Elles remercient également le Conseil des Arts du Canada de l'aide
accordée à leur programme de publication.

Gouvernement du Québec – Programme de crédit d'impôt pour l'édition de livres –
gestion SODEC.

Ce soir, on danse !

Auteure : Martine Latulippe
Illustrations : Fabrice Boulanger

L'Alphabet sur mille pattes

On ne s'ennuie jamais
dans la classe
de madame Zoé !

Les élèves font
toutes sortes d'activités
artistiques.

Et le prénom de chacun
commence par une lettre
différente de l'alphabet.

Découvre l'aventure de
Sadio, **T**ania
et **U**go...

Bienvenue dans le monde
de la danse !

Chapitre 1

Sadio
la souriante

Une nouvelle élève est arrivée dans la classe de madame Zoé.

Elle s'appelle Sadio et vient du Mali.

Sadio sourit toujours.

Elle est lumineuse.

Quand elle entre dans la classe, on dirait que le soleil se lève.

Cette semaine, il se passe quelque chose de spécial à l'école...

On souligne la fête de la Terre !

Chaque groupe organise un événement en lien avec un pays différent.

Les grands de sixième année ont cuisiné un repas mexicain.

Un matin, la classe de troisième a chanté quelques airs de France.

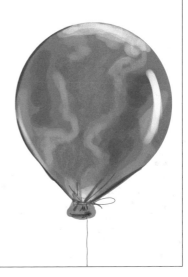

Ce soir, c'est au tour des élèves de madame Zoé d'inviter le reste de l'école à une activité.

Laquelle?

Les autres voudraient bien le savoir, mais chut... c'est un secret!

Les élèves ont préparé une surprise.

Tout ce qu'ils peuvent dire pour l'instant, c'est qu'ils seront sur une scène...

Les élèves de madame Zoé ont tous un sourire mystérieux sur les lèvres.

Ils rôdent dans les couloirs de l'école comme des agents secrets.

Ils chuchotent entre eux.

Ils ont hâte de présenter leur numéro.

Tania demande à son amie Sadio :

– Tu crois qu'on y arrivera ?

– Ce sera super ! Du jamais-vu à l'école !

La douce Héloïse s'inquiète :

– Mais si jamais on oublie les pas ?

Sadio la rassure :

– Vous n'aurez qu'à me suivre.

Sadio est très fière : c'est elle qui leur a appris la chorégraphie...

Car voilà le grand secret : ce soir, la classe de madame Zoé présentera un numéro de danse !

La cloche sonne. La journée de cours est terminée.

Les élèves sont de plus en plus excités.

Dans quelques heures seulement, ils feront une danse très spéciale sur la scène...

18

Crois-tu qu'ils danseront la samba?

Le cha-cha-cha?

Le hip-hop?

Le yaya?

Non, rien de tout ça.

MAIS QUE DANSERONT LES ÉLÈVES
DE MADAME ZOÉ?

Chapitre 2

Tania
la maladroite

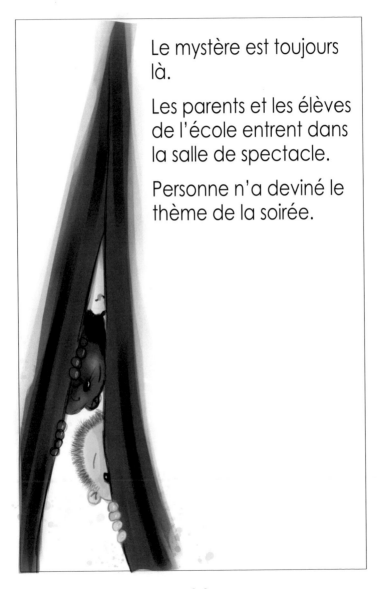

Le mystère est toujours là.

Les parents et les élèves de l'école entrent dans la salle de spectacle.

Personne n'a deviné le thème de la soirée.

Tania se sent nerveuse.

Elle est très timide et n'a pas voulu faire partie des danseurs.

Elle s'occupe plutôt de placer les accessoires sur la scène.

Elle s'assure que les autres ont ce qu'il faut.

Ugo tient un tambourin.

Plusieurs élèves joueront du tam-tam.

Autour d'elle, c'est une véritable explosion de couleurs!

Les filles ont des fleurs sur la tête.

Les gars portent des chemises éclatantes.

Tania sait qu'elle est maladroite,
d'habitude.

Elle a peur d'oublier quelque chose.

Elle relit sa liste une cinquième fois.
Une dixième fois. Une trentième fois !

Son petit cœur saute comme s'il s'amusait sur un trampoline.

Madame Zoé lui tapote l'épaule :

– C'est prêt ! Tout est parfait, Tania ! Tu as très bien travaillé.

Les joues de Tania deviennent rouges comme deux tomates bien mûres.

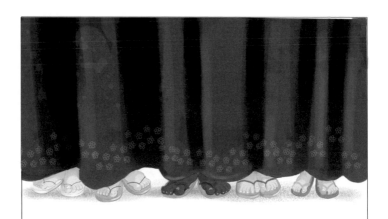

Derrière le rideau, les élèves tâchent de se concentrer.

C'est difficile quand on entend les bavardages dans la salle !

Tania est si nerveuse qu'elle a l'impression qu'une tempête s'agite dans son ventre.

Heureusement qu'elle ne danse pas!

Elle regarde Sadio. Son amie semble calme.

Quel est son truc pour paraître si tranquille malgré tout ce tapage?

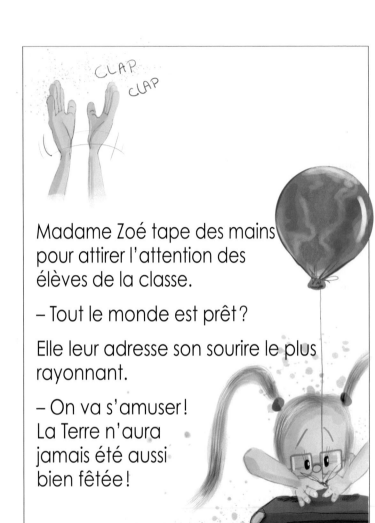

Madame Zoé tape des mains pour attirer l'attention des élèves de la classe.

– Tout le monde est prêt ?

Elle leur adresse son sourire le plus rayonnant.

– On va s'amuser !
La Terre n'aura
jamais été aussi
bien fêtée !

Ugo se faufile entre les pans du rideau et s'avance sur la scène.

Il annonce d'un ton enjoué :

– Tadam ! Mesdames et messieurs, c'est l'heure !

L'HEURE DE QUOI ? QUE FERONT LES ÉLÈVES POUR SOULIGNER LA JOURNÉE DE LA TERRE ?

Chapitre 3

Ugo
l'animateur

Ugo est l'animateur de la soirée.

Il parle fort et semble ultraconfiant.

Le public l'écoute avec plaisir.

Il explique que leur numéro sera
unique.

C'est Sadio, une nouvelle venue
dans la classe, qui les a inspirés.

Ils ont décidé d'utiliser les talents de
plusieurs élèves.

Certains ont fait les décors, d'autres s'occupent de la musique…

Ugo blague :

– Moi, j'aurais aimé jouer du ukulélé. Mais il paraît que c'est impossible de maîtriser cet instrument en deux semaines…

Dans la salle, tout le monde rit.

Une petite vague joyeuse parcourt la foule.

Ugo continue :

– Les élèves vous impressionneront par leurs pas et leur rythme. Savez-vous ce que nous ferons, ce soir ?...

BLAM

BLAM

Juste à ce moment, le rideau s'ouvre derrière lui.

Les élèves apparaissent, le dos bien droit, formant une rangée parfaite.

Des sons de tam-tam résonnent sur la scène.

Sadio s'avance, seule, et fait quelques mouvements.

Ugo crie dans le micro :

– Ce soir, on danse !

La musique explose !

Tania a appuyé sur une touche du lecteur de CD et on entend des dizaines de tam-tams.

L'éclairage est jaune, orangé, rouge. Chaud comme le sourire de Sadio.

Les élèves s'animent et se joignent à la danse.

Ils sautent, se trémoussent, s'amusent comme des petits fous.

Quel superbe spectacle !

Pour la fête de la Terre,
la classe de madame
Zoé présente un numéro
endiablé de danse africaine.

Les danseurs se laissent emporter par la musique.

Ils oublient vite leur nervosité et ne pensent qu'à bouger.

Ils sont si beaux et dynamiques qu'on a envie de se joindre à eux !

Les spectateurs se lèvent pour danser avec les élèves de madame Zoé.

Même Tania oublie sa gêne et se dandine joyeusement.

On se rappellera longtemps ce beau moment!

L'Alphabet sur mille pattes

SÉRIE LES ANIMAUX

Texte : Yvon Brochu
Illustrations : Marie-Claude Demers, Joanne Ouellet, Roxane Paradis

1. Panique sur le petit lac — A B C
2. Au secours, mon tuba ! — D E F
3. Au voleur de médailles ! — G H I
4. Manège en folie ! — J K L
5. Haut les pattes, gros pirate ! — M N O
6. Pas de chicane dans ma Cour ! — P Q R
7. Train en danger — S T U
8. Ouvrez l'œil, monsieur Will ! — V W X
9. De l'orage dans l'air ! — Y Z - AZ

SÉRIE LA CLASSE DE MADAME ZOÉ

Texte : Martine Latulippe
Illustrations : Fabrice Boulanger